Vive
le carnaval!

Des romans à lire à deux,
pour les premiers pas en lecture !

La collection Premières Lectures accompagne les enfants qui apprennent à lire. Chaque roman peut être lu à deux voix : l'enfant lit les bulles et un lecteur confirmé lit le reste de l'histoire.

Cette collection a trois niveaux :

`JE DÉCHIFFRE` les bulles peuvent être lues par l'enfant qui débute en lecture.

`JE COMMENCE À LIRE` les bulles peuvent être lues par l'enfant qui sait lire les mots simples.

`JE LIS COMME UN GRAND` les bulles peuvent être lues par l'enfant qui sait lire tous les mots.

Quand l'enfant sait lire seul, il peut lire les romans en entier, comme un grand !

Un concept original **+** des histoires simples **+** des sujets qui passionnent les enfants **+** des illustrations : **des romans parfaits pour débuter en lecture avec plaisir !**

Cette histoire a été testée par Valérie Le Borgne, enseignante, et des enfants de CP.

L'orthographe rectifiée est appliquée dans cet ouvrage.

© 2017 Éditions NATHAN, SEJER, 25, avenue Pierre-de-Coubertin, 75013 Paris
Loi n° 49-956 du 16 juillet 1949 sur les publications destinées à la jeunesse,
modifiée par la loi n° 2011-525 du 17 mai 2011.
ISBN : 978-2-09-257241-2

Vive le carnaval !

TEXTE DE MYMI DOINET

ILLUSTRÉ PAR NATHALIE CHOUX

Ce matin, la neige tombe sur l'école
Plume-Poil-Patte! Les CP grelotent
près du radiateur.

Seul Manu, le manchot,
a trop chaud...

Manu ouvre la fenêtre et chante sous les flocons.

Tralala!

Gaston et Lardon, les frères cochons, éternuent aussitôt. Madame La Cane ordonne au manchot :

Va vite à ta place, Manu !

La maitresse pousse ensuite
une énorme malle. Les copains
se dépêchent de l'aider.

Ho! Hisse!

Picota, la poule, et Tino, l'ânon,
se demandent ce qu'il y a dedans.
Mystère...

Manu en est sûr :

Dans cette malle,
il y a des glaces
à la banane !

Léonie n'est pas de son avis.

Ce n'est pas l'été !

La petite lionne a raison :
le manchot a tout faux…

Dès que madame La Cane ouvre
la malle, un collier dépasse. Ludo,
le louveteau, hurle :

Ce coffre-fort
cache un trésor !

Dedans, il y a tout ce qu'il faut
pour faire la fête. Car cet après-midi,
c'est le carnaval !

Caramel s'habille aussitôt en clown
et Léonie en Chaperon rouge.
Que porte-t-elle dans son panier?

La petite lionne rigole.

Non ! C'est un ballon.

Carotte, elle, se costume en chevalière.

Gare
à mon épée !

Puce, comme le Chat botté, la rattrape plus vite que son ombre :

Moi, mes bottes sont magiques !

Pendant ce temps-là, Manu ne s'amuse pas...

Dans sa tenue de robot,
Tino s'approche du manchot.

Bib, bip!
Tu ne te
déguises pas?

Non ! Manu sue, il ne va pas porter
des vêtements en plus !

C'est l'heure du déjeuner,
tous à la cantine !

Déguisés en Indiens, Gaston et Lardon construisent des tentes avec leurs frites.

Que fait Roméo en magicien ? Toujours dans la lune, le renardeau verse du sel sur la mousse au chocolat.

Sous sa couronne de reine,
madame La Cane lui chuchote :

Vas-tu nous jeter un sort avec ta recette ?

Toute la classe rit, sauf Manu.
Où est-il ?

Oh ! Le manchot vient d'ouvrir la porte du frigo pour faire la sieste au milieu des yaourts.

Coiffé d'un képi de policière,
Picota siffle :

Lève-toi,
tu n'es pas
un petit pot
de crème !

L'après-midi, la classe se prépare
à défiler dans les rues enneigées.
Madame La Cane rassemble les CP.

Marchez
deux
par deux !

Tous les copains sont en rang,

sauf Manu. Où a-t-il encore disparu ?

Sous sa cape de vampire,
Ludo court en tête.

Il est à la patinoire ?

Mais sur la glace, il y a juste trois grands CE1 qui paradent en pirates. Eux non plus n'ont pas vu Manu !

Là-bas, près de la fontaine, un drôle
de bonhomme de neige gigote.
Oh, oh! À la place du nez, il a un bec.

Nous t'avons
reconnu,
Manu!

Sous son habit de flocons, le manchot n'a plus trop chaud. Il a même un petit peu froid...

Bravo! Tu as lu un livre en entier !
Tu as aimé cette histoire ?
Retrouve les copains du CP dans d'autres aventures !

premières lectures

N° éditeur : 10251523 – Dépôt légal : janvier 2017
Achevé d'imprimer en janvier 2019 par Pollina
(85400 Luçon, Vendée, France) – 87452